Pour Nathan et Édouard

© 2014, *l'école des loisirs*, Paris

Loi 49956 du 16 juillet 1949,
sur les publications destinées à la jeunesse.
Dépôt légal : mars 2014
ISBN 978-2-211-21269-4

Mise en pages : *Architexte*, Bruxelles
Photogravure : *Media Process*, Bruxelles
Imprimé en Italie par *Grafiche AZ*, Vérone

Émile Jadoul

Pizza

Pastel
l'école des loisirs

Il était une fois
un chien, un cochon, un canard…
et une poule.

«J'ai faim !» dit le chien.

«Moi aussi !» répond le cochon.

«C'est déjà l'heure du repas ?» s'étonne le canard.

«J'ai pas très faim !» dit la poule.

« Si on mangeait une pizza ? » propose le chien.
« Bonne idée ! » répondent le canard et le cochon.

« Bof ! » dit la poule.

«Je commande!» dit le chien.

«Pizzaaaaa champignons pour moi!» hurle le cochon.

«Euh… pizza quatre fromages pour moi!» dit le canard.

«Y'a rien d'autre?» demande la poule.

« Les pizzas sont là dans dix minutes ! »
annonce le chien.

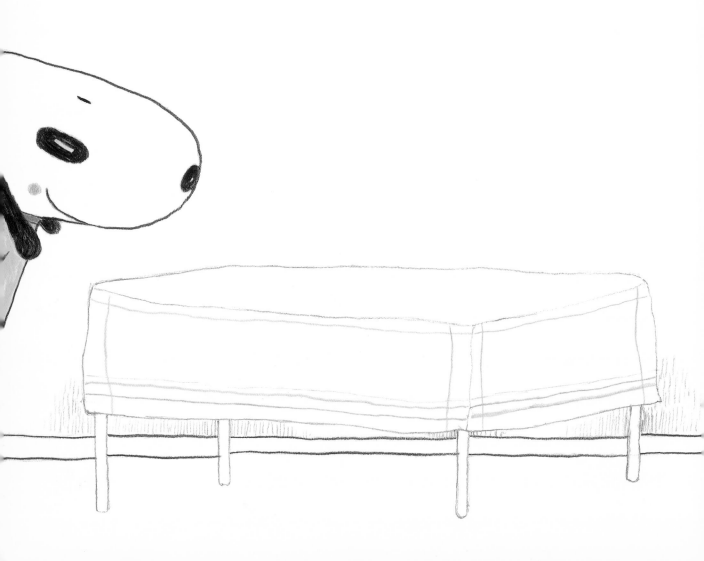

«Yesssss!
On met la table!» disent le cochon et le canard.

Euh, non…

«On mange devant la télé!» décide la poule.

Ding dong, ding dong…

Le livreur de pizza est à la barrière.
«Va chercher les pizzas!» demande le chien à Canard.

« Oh non ! Il fait un froid de canard.
Je n'ai pas envie de sortir. »

«Alors, Cochon, vas-y!» dit le chien.
«Par ce temps de cochon? Tu n'y penses pas!»

«Moi, de toute façon,
j'ai pas faim!»
chuchote la poule.

«C'est **toi** qui as proposé des pizzas !
Vas-y!» dit le cochon au chien.

«Tu plaisantes! Il fait un temps à ne pas mettre un chien dehors, dit le chien. Non, non, non! Je reste ici!»

«Vas-y!» crie le cochon au canard.
«**Pas question!** hurle le canard. C'est à Chien d'y aller.»
«De toute façon, j'ai plus faim!» dit le chien.

Ding dong, ding dong, ding dong…
insiste le livreur.

C'est bon, j'y vais!

« J'suis pas une poule mouillée, moi ! » dit la poule.

«Ben, un peu quand même !»
gloussent le chien, le canard et le cochon.